WELCOME!

多多岛，被漂亮的蔚蓝大海包围

岛上有绿油油的田地

和金色的沙滩

还有小河、溪流

很多鸟儿在树上歌唱

这里有风车和一座煤矿

迎接游客到岛上观光的码头

岛上还有很多很多的火车路线

刚刚是谁经过这条铁轨呢

是托马斯

你好，托马斯！

哈啰，大家好！

欢迎光临多多岛！

不一样的小火车

梦想家托马斯

根据奥德利"铁路故事系列"改编

罗宾·戴维斯　杰瑞·史密斯　绘图

THOMAS
& FRIENDS
™

童趣出版有限公司编译　人民邮电出版社出版

北京

Thomas the Tank Engine & Friends™

CREATED BY BRITT ALLCROFT

Based on the Railway Series by the Reverend W Awdry

© 2009 Gullane (Thomas) LLC. A HIT Entertainment company.

Thomas the Tank Engine & Friends and Thomas & Friends are trademarks of Gullane (Thomas) Limited.

Thomas the Tank Engine & Friends and Design is Reg. U.S. Pat. & Tm. Off.

图书在版编目（CIP）数据

梦想家托马斯/艾阁萌（英国）有限公司著；童趣出版有限公司编译.— 北京：人民邮电出版社，2009.8
（不一样的小火车）
ISBN 978-7-115-20141-6

Ⅰ.梦… Ⅱ.①艾…②童… Ⅲ.图画故事—英国—现代 Ⅳ.I561.85

中国版本图书馆CIP数据核字（2009）第126959号

不一样的小火车

梦想家托马斯

责任编辑	叶 瑛	编 译	童趣出版有限公司	
执行编辑	代冬梅	出 版	人民邮电出版社	
封面设计	段 芳	地 址	北京市东城区交道口菊儿胡同七号院（100009）	
排版制作	Rinkong工作室	网 址	www.childrenfun.com.cn	

读者热线：010-84180588　　经销电话：010-84180459

印　刷	北京利丰雅高长城印刷有限公司
开　本	889×1194　1/24
印　张	2.5
字　数	25千字
版　次	2009年8月第1版　2011年11月第11次印刷
书　号	ISBN 978-7-115-20141-6
图　字	01-2009-4829
定　价	12.00元

托马斯

编　　号：1

车　　型：水箱蒸汽机车

原　　型：在英国伦敦南部海岸铁路线上运行的0-6-0 E2型火车

特　　征：个子小小，爱玩，爱笑，爱工作

最大的梦想：拥有一条属于自己的铁路，已经实现啦

最不喜欢的事：拉鱼车，太臭了

托马斯的画像

托马斯的照片

托马斯是一辆蒸汽小火车。他有六个小轮子和一个矮矮的烟囱，还有一个矮矮的蒸汽圆顶。他漂亮又干净，所以，胖总管总是派他去拉车厢。他把车厢送到车站，然后让大火车们拉着去旅行。

不过，托马斯有自己的梦想。他想要一条完全属于自己的铁路，做一辆真正有用的小火车。

托马斯总是笑嘻嘻的，而且特别喜欢开玩笑。

一天，高登拉着快车回到车站。他累极了，一下子呼噜呼噜睡着了。这时，托马斯悄悄开到他旁边，吹着汽笛大声叫："嗨，快起来，懒家伙！"

高登被吓了一大跳，他很生气，下定决心要教训教训这个淘气包。

第二天早上，托马斯睡呀睡，怎么也醒不来。

可是高登出发的时间已经到了，托马斯还没把他的车厢准备好。

最后，托马斯终于睡醒了，高登生气地大声喊："嘟嘟嘟，快快快！"

可托马斯却毫不在意地回答道："嘀嘀嘀，你自己快快快吧！"

通常，托马斯要在高登后面推一下，帮他启动。但是在高登飞奔之前，要先解开托马斯和车厢之间的挂钩。这样托马斯就可以停下来，倒回去了。

可是那天早上，高登启动得特别快，快得让列车长来不及解开托马斯的挂钩。高登拉着车厢和托马斯驶出车站，然后开始加速，他越跑越快，托马斯也被拖着越跑越快了！

"停下！停下！快停下！"托马斯大叫。

"不停，不停，就不停！"高登一边飞跑，一边哈哈大笑。

可怜的托马斯，他从来没有跑过这么快！他难受地呻吟起来："我的轮子呀，快要磨烂了。"

最后，他们开进了一个车站。高登停下来，托马斯被解开，他喝了好多好多水。

"怎么样，小托马斯？"高登咯咯笑着问。

可怜的托马斯喘得太厉害了，连一个字也说不出来了。

第二天，托马斯去采石场工作，在他旁边的轨道上，停着一些奇怪的车。

"那是救险车。"托马斯的司机说，"要是发生交通事故，就用他们来清理路障，修复铁路。"

正说着，詹姆士突然哇哇叫着从旁边冲了过去："救命哪！救命哪！"原来，詹姆士的刹车起火了，货车们又使劲推他，让他没法停下来。

不一会儿，信号塔上响起了警铃，信号员跑过来，大声喊道："詹姆士脱轨了！需要救险车，快快快！"

托马斯正好可以和救险车接在一起。于是，他接上救险车，朝詹姆士的方向飞驰而去。

大家在铁路拐弯处找到了詹姆士。他趴在草地上，货车们挤在后面，摞到了一起。

詹姆士的司机和司炉正在检查他有没有受伤。"别担心，詹姆士，"司机说，"这不是你的错，都是那些捣蛋鬼小货车惹的麻烦。"

托马斯推着救险车把货车们拖回铁轨上。

"天哪！天哪！"货车们呻吟着。

"活该！活该！"托马斯生气地说。

货车们都被拖上铁轨后，托马斯立刻把他们拉走。整个下午，托马斯忙个不停，干得可卖力了。

工人们用了两台吊车，才把詹姆士吊回铁轨上。詹姆士太累了，托马斯只好把他拉回了机房。

胖总管正在那里等他们，他亲切地说："干得好，托马斯！我要奖给你一条属于你自己的铁路。"

"真的吗？谢谢您，先生！"托马斯好快活呀。

从此，托马斯有了一条完全属于自己的铁路。

早上，他自豪地嘟嘟叫着开出去；晚上，又自豪地嘟嘟叫着开回来，别提多快乐了！

只是有时在路上碰见高登，高登总是匆匆忙忙开走，一秒钟也不愿意停留。不过，他从来不会忘记对托马斯说："嘟嘟！嘟嘟！"

托马斯也总是吹着汽笛回应："嘟嘟！嘟嘟！"

火车的诞生

　　人类很早就发明了蒸汽机，由瓦特改进的蒸汽机更是威力无比。可是，直到1804年，蒸汽机还是"蹲"在地上不移动，而铁轨上的车厢是由马来拉动的。把蒸汽机和车厢结合到一起的，是英国人特里维西克。1804年，一辆安装着他发明的"活动蒸汽机"的矿车，拉着一列装满生铁和70名乘客的货车，用4小时5分钟的时间跑完了16千米的距离。世界上第一台实际投入运行的蒸汽机车诞生了。不过，这位火车前辈的轮子把脆弱的铁轨彻底压碎了。又过了好多年，人们才发明了能"亲密合作"的机车和铁轨。

　　因为一开始，火车是用煤炭或木材作燃料的，所以人们就叫它"火车"，一直到今天哦！

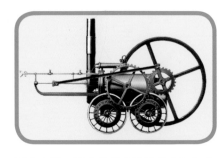

历史上第一辆在轨道上运行的蒸汽机车

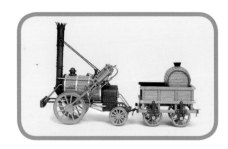

诞生于1829年的"火箭"号蒸汽机车，是第一辆具备现代蒸汽机车基本构造特征的蒸汽机车

蹦蹦跳的史卡洛

史卡洛

编　号： 1

车　型： 窄轨蒸汽机车

原　型： 在英国威尔士的泰尔因铁路上奔跑的泰尔因号机车

特　征： 聪明，勇敢，见多识广，关心朋友

最骄傲的事： 他是多多岛上最古老的火车之一，整整一百岁了，还像新火车一样漂亮，一样有用

史卡洛的画像

史卡洛的照片

史卡洛在多多岛的一条铁路支线上工作。

他足足有一百岁了，可仍然是一辆特别有用的小火车。别的小火车都非常喜欢史卡洛，他能给大家讲很多很多他年轻时的故事。

其中，让所有小火车听了还想听的，是史卡洛刚刚来到多多岛时发生的那个故事。

史卡洛是和好朋友雷尼斯一起被制造出来的，他们都是红色的，都有四个轮子，看起来棒极了。

他们要被派到大山里的一条支线上工作。可是，史卡洛比雷尼斯先造好，所以他不得不离开雷尼斯，独自前往大山里。当他们彼此道别时，两辆小火车都非常难过。

史卡洛被运上了一艘大船，在海上颠簸了好久，终于到达了码头，工人们又用起重机把史卡洛大头冲下地提了起来，送到岸上去。

这可气坏了史卡洛，"他们怎么敢这样对我！"

史卡洛在起重机上吊了好一会儿，才开来一辆小火车，把他拉进了山里的一个小车站。

第二天早上，史卡洛看见周围到处都是货车，他们大声尖叫着从史卡洛旁边跑了过去。

"并没有火车头拉他们哪！"史卡洛惊奇地说。

"这些货车是靠地球引力，自己从山上跑下来的，"经理说，"不过空货车自己可上不了山哦，得由火车头拉上去，所以这里需要你呀。"

"什么？"史卡洛惊讶地说，"我不能拉客车吗？"

"当然不能，"经理说，"我们必须尽快把这条铁路铺完，巡视员很快就要来检查了。"

史卡洛非常恼火。当司机想要启动他时，他就是不肯打着火。第二天，司机又试着启动他，他还是拒绝。隔一天又试了试，可史卡洛还是什么都不做。

最后，经理终于失去了耐心，他说："我们可不想每天都看你这张气呼呼的脸，史卡洛。你就自己待着吧，直到你想成为好火车。"

他们用一大块油布盖住了史卡洛，然后便离开了。再没有人来跟史卡洛说话，他变得非常孤独。

终于有一天，经理来了，他说："我希望你从现在开始做一辆好火车。"

"好的，好的，先生！"史卡洛忙不迭地说。

从此，史卡洛努力地工作起来，虽然他一兴奋就有点儿上蹿下跳，但是经理对他非常满意。

等到雷尼斯来的时候，铁路已经铺好了。见到自己的老朋友，史卡洛别提有多高兴了！

雷尼斯很快就在新环境里安顿下来。有一天，当他拉着货车回来时，史卡洛急急忙忙地朝他开过去。"今天我要去拉巡视员！"史卡洛说。

"那你得注意千万别蹦，"雷尼斯说，"巡视员可不喜欢被颠。"

可是，史卡洛太兴奋了，他怎么也止不住蹦跳！

史卡洛得先拉着巡视员到山顶去，然后再返回山下。上山时一切都很顺利，史卡洛非常高兴。

可是，等到他们下山时，史卡洛实在太激动了，他开始蹦起来，客车也开始吱嘎作响。"这家伙在捉弄我们呢！"客车们说，"颠他！颠他！"

正在这时，史卡洛最最厉害地颠了一下，巡视员没站稳，一下子摔进了铁路旁的灌木丛里！

司机及时刹住车。幸好巡视员没有受伤，不过他非常生气，他对史卡洛说："从现在起，你就待在机房里吧！你是一辆让人讨厌的小火车！"

巡视员把这件事告诉了经理，经理为史卡洛感到难过。他知道，史卡洛一定是想尽力做好的。

"史卡洛需要再加一副轮子，"经理说，"这样他就不会再蹦了。"于是，史卡洛被送进了修理场。

当史卡洛回来时，雷尼斯几乎认不出他来了。他有了六个轮子和一个崭新的驾驶室，看起来帅极了。

而且，他开起来非常平稳，再也不上蹿下跳了。

从那以后，史卡洛就轻轻松松地在铁路上开来开去，再也没有颠过乘客。就这样过了一百年，史卡洛仍然非常新，跟新的小火车没有两样。

铁路的诞生

火车在19世纪初诞生，铁路的发明，可比火车还要早好几十年呢！

16世纪中期，英国矿业蓬勃发展，一位聪明的钢铁公司老板想到了一个很棒的主意来提高效率：用圆木搭建两排平行的轨道，然后让装满矿石的斗车沿着木头轨道从山上往下滑，这可比马拉、人背省力多了。

不过，木头轨道不耐磨，在平地上也不能用。于是，到了1767年，就有人用生铁来建造轨道。从此，这种轨道就被称作"铁路"，一直到今天哦。

早期铁路

现代铁路

托马斯和朋友们送来好看又好玩的小火车图书喽！你有几本了？

快去书店挑选你喜欢的，带回家建一个小火车书架吧！

托马斯和朋友动画故事乐园（第一辑）

2009年1月出版

托马斯和朋友百宝游戏屋

2009年5月出版

托马斯和朋友动画故事乐园（第二辑）

2009年6月出版

不一样的小火车（1~6）

2009年8月出版